CÚPLA

A Sheáin,
Bain taitneamh as!
Ógie 20/8/17.

CÚPLA

Ógie Ó Céilleachair

Cló Iar-Chonnacht
Indreabhán
Conamara

An Chéad Chló 2011

An Dara Cló 2012
An Tríú Cló 2015

ISBN 978-1-905560-76-9

Dearadh clúdaigh: Creative Laundry
Dearadh: Deirdre Ní Thuathail

Tá Cló Iar-Chonnacht buíoch de Fhoras na Gaeilge as tacaíocht airgeadais a chur ar fáil.

Faigheann Cló Iar-Chonnacht cabhair airgid ón gComhairle Ealaíon.

Clóchur: Cló Iar-Chonnacht, Indreabhán, Co. na Gaillimhe.
Teil: 091-593307 **Facs:** 091-593362 **r-phost:** eolas@cic.ie
Priontáil: Clódóirí CL, Casla, Co. na Gaillimhe
Teil: 091-506597

I

"A Thiarna an domhain," arsa Máiréad Uí Bhraonáin. "Cad atá tar éis tarlú in aon chor?"

Ag trácht ar a beirt iníon a bhí an mháthair bhocht. Bhí Máiréad ina suí ag bord na cistine ina teach amuigh faoin tuath, díreach deich nóiméad ón gcathair. Bhí sí ag féachaint amach an fhuinneog ar Éile.

"Ní fios cá bhfuil an ceann eile," arsa Mam léi féin.

Cúpla ba ea Éile agus Sharon. Ba iad an t-aon bheirt a bhí sa chlann ag Máiréad agus Timmy Ó Braonáin. Ní raibh siad ag súil le cúpla. Theastaigh páiste aonair uathu tar éis dóibh pósadh, agus ansin i gceann cúpla bliain, bheadh páiste eile acu. Ní mar a shíltear a bhítear, áfach, agus saolaíodh an bheirt chlainne dóibh an 11 Meán Fómhair cúig bliana déag ó shin. Bhí áthas ar na tuismitheoirí nua.

Bhí Bean Uí Bhraonáin buartha faoi Sharon. Ní raibh ag éirí go maith idir í agus a deirfiúr ná le héinne sa chlann. Bhí sí an-ghránna le hÉile bhocht le déanaí. Cailín álainn ab ea Éile, agus gach uair a tháinig tuairisc ón scoil bhí "A" ar gach líne. Ní hin mar a bhí i gcás Sharon, áfach.

"N'fheadar an í sin an chúis," arsa Máiréad léi féin agus í ag faire amach ar a hiníon. Bhuail fón a bhí fágtha in airde ar leac na fuinneoige. Bhí sí róghafa lena cuid smaointe chun an fón a sheiceáil.

Bhí Éile amuigh sa pháirc a bhí in aice an ghairdín. Bhí capall sa pháirc sin. Bhí Éile craiceáilta i ndiaidh capall. Níor leis an gclann an capall, ach gach lá tar éis na scoile théadh sí amach go dtí Charlie, mar a thug sí air, agus thug sí roinnt tuí dó. D'fhanadh sí ann ar feadh tamaill mhaith ag insint nuacht an lae dó. Bhí sí gafa leis an gcispheil ar feadh roinnt den bhliain ach ba chuma léi mar bhí grá mór aici don chispheil. Bhuail sí le roinnt mhaith daoine agus í ag taisteal le foireann na scoile. Bhí suim ag Éile sa cheol freisin. Ceol Gaelach nó ceol clasaiceach a rogha ceoil. Ní raibh sí in ann aon uirlis a sheinm, ach veidhleadóir iontach ab ea a cara Charlotte. Ghlac an bheirt acu páirt sa chór mar aon le roinnt dá gcairde.

Cailín éagsúil amach is amach ab ea Sharon. Ní raibh sí chomh ceanúil ar ainmhithe is a bhí Éile. B'fhuath léi iad i ndáiríre. Bhí Sharon craiceáilta i ndiaidh éadaí, bróga, smideadh – aon rud go raibh baint aige le faisean. Nuair a bhí airgead póca aici, cheannaigh sí na hirisí faiseanta go léir. Ní dhéanfadh aon smideadh eile í ach Mac, Dior agus a leithéidí sin. Bhain Sharon an-úsáid as a iPod. Bhí sé lán le ceol *R&B, hip-hop* agus *rap*.

D'fhreastail an bheirt acu ar scoil lánchailíní, ach ag am lóin bhí cead acu gabháil síos an baile. Bhí na buachaillí craiceálta i ndiaidh Sharon ach níor chuireadar aon suim in Éile. Níor chaith Éile aon smideadh. Bhí sí cairdiúil le cailíní go raibh suim acu in Eolaíocht, Mata agus léitheoireacht. Ar an láimh eile, áfach, bhí Sharon cairdiúil le cailíní go raibh suim acu i mbuachaillí, buachaillí agus a thuilleadh buachaillí.

Bhí athair na gcailíní ag múineadh i Scoil na mBráithre sa bhaile céanna agus ba é a bhí mar thraenálaí ar an bhfoireann iománaíochta. "Timmy Tíogair" an leasainm a bhí air toisc gur imreoir fíochmhar ab ea é nuair a d'imir sé iománaíocht le foireann an chontae. Gach lá tar éis na scoile théadh na cailíní chun bualadh leis ag Scoil na mBráithre chun síob abhaile a fháil. Na laethanta a raibh traenáil ar siúl, shuigh Sharon in aice na páirce agus í ag stánadh ar chosa na mbuachaillí. Fad is a bhí sé seo ar bun bhíodh Éile ag déanamh a cuid obair bhaile agus, dá mbeadh an t-am aici, dhéanfadh sí beagán staidéir.

Bhí na smaointe seo ag rith trí cheann Mháiréad agus í ina suí ag bord na cistine. D'oscail an doras agus shiúil a fear céile isteach. D'fhéach sé ar a bhean agus d'fhéach sise air. Chas sé a dhroim. Shín sé a lámh suas go leac na fuinneoige chun a fhón a fháil. D'fhan Máiréad ag stánadh amach an fhuinneog.

"A Thiarna an domhain," a dúirt sí arís. "Cad atá tar éis tarlú in aon chor?"

II

"Charlie. Charlie. Tar anseo, a stór." Chuir Éile a lámh ina póca agus rug sí greim ar roinnt cnapán siúcra. D'fhéach an capall timpeall agus d'ardaigh sé a eireaball. Rinne sé bogshodar sall go dtí an déagóir.

"Anois seo dhuit, a chroí," ar sise leis.

Thaitin Charlie go mór léi agus thaitin a cuideachta leis-sean. D'ith sé an siúcra go blasta agus thosaigh an cailín ag cuimilt a mhuiníl.

"Ó, n'fheadar in aon chor," ar sí. "Níl a fhios agam cad atá tar éis tarlú do Sharon."

Bhí an-chosúlacht idir an cúpla ar feadh roinnt blianta. Nuair a bhí siad sa chéad bhliain ar scoil b'annamh a d'aithin na múinteoirí iad óna chéile. Beirt chailín téagartha ba ea iad. Fráma ard acu le gruaig fhada dhonn. Súile gorma a bhí ag an mbeirt acu agus roinnt bricíní gréine scaipthe ar a ngrua. Nuair a bhí siad gléasta san éide scoile mheaitseáil a gcuid súl leis an ngeansaí gorm éadrom, an léine bhán le stríocaí gorma agus an sciorta dúghorm. Anois, áfach, bhí sé éasca iad a aithint óna chéile. Rinne dath gruaige agus smideadh mórán difríochta.

Ní raibh Sharon ródheas le hÉile le cúpla mí anuas. Nuair a thosaigh siad ar an meánscoil bhí anchairdeas eatarthu, ach tar éis tamaill thosaigh Sharon ag crochadh timpeall le roinnt cailíní ón mbaile mór. Thaispeáin siad seo di conas smideadh a phéinteáil uirthi i gceart agus conas an ghruaig a stracadh amach as a cosa le céir. Thug siad comhairle di maidir leis an mbranda donnú bréige is fearr. Tar éis tamaill ní dhéanfadh aon siopa eile cúis ach BTs. D'inis Éile na scéalta seo do Charlie gach tráthnóna tar éis na scoile, agus sheas an capall caol díreach ag éisteacht. Chrom sé a cheann le drochnuacht agus d'ardaigh é le dea-scéal. Uaireanta cheap Éile gur ag tabhairt comhairle di a bhí sé fiú.

Ní raibh mórán ama caite aici ag caint nuair a réab fothram millteach tríd an aer. Cheap Éile gur torann é a chloisfí i scannán cogaidh. Inneall éigin a bhí i gceist de réir dealraimh agus bhí sé ag éirí níos glóraí is níos glóraí. D'fhéach an cailín amach thar an gclaí agus leis sin thosaigh Charlie ag pocléim timpeall na háite.

"Cad sa diabhal atá ag déanamh an torainn sin?" arsa Éile léi féin.

D'fhéach sí amach thar an gclaí arís agus ní fada gur imigh carr thairsti.

"Ó, Jack de Grás, amadán," a dúirt sí.

Ní raibh aon rud ní ba mhó ar domhan a chuir isteach ar Éile ná na spraoi-thiománaithe sna carranna spóirt. Bhí an ghráin dhearg aici ar Jack mar gur sciorr sé timpeall na háite sa Honda Civic beag le ceol ard *techno* á sheinm aige agus gan aird aige ar aon rud seachas é féin. Nuair a bhí sí sa bhunscoil bhí Jack cúpla rang chun cinn uirthi. Bhí sé de shíor ag magadh faoi dhaoine agus ag tabhairt léasadh do bhuachaillí ní b'óige. D'imigh an carr síos an bóthar agus stad sé.

"Stail asail," arsa sí arís. Rinne Charlie glór amhail is go raibh sé ag aontú léi.

Cúpla nóiméad ina dhiaidh sin d'imigh an carr ar ais suas an bóthar. Tamaillín ina dhiaidh sin arís shiúil Sharon suas an bóthar thar an gclaí. Chonaic sí Éile istigh sa pháirc agus bheannaigh sí di. Rinne sí comhartha ansin ag iarraidh uirthi teacht anall chuici. Ní raibh Éile róshásta in aon chor. Bhí Sharon tar éis a rá léi go raibh sí ag fanacht siar chun obair a dhéanamh ar thionscadal OSSP agus go mbeadh síob á fáil aici ó mháthair cailín eile sa ghrúpa. Níorbh in mar a bhí, ba léir.

"Ná habair liom go bhfuil tú ag dul timpeall leis an simpleoir sin," arsa Éile.

"Dheara, dún do chlab agus tar anseo," a d'fhreagair Sharon.

Is ansin a thug Éile faoi deara go raibh marc deargchorcra ar mhuineál Sharon.

"Cogar, an rithfeá isteach go dtí mo sheomra agus an *concealer* a fháil dom?"

Bhí alltacht ar Éile.

"An raibh tusa ag pógadh an liúdramáin sin?"

D'fhreagair Sharon go tapaidh í.

"An bhfuil tú chun dul isteach nó an bhfuil tú chun fanacht ansin? Cén saghas deirféar tú in aon chor?"

Sin an abairt a rug ar Éile gach uile uair.

"Cén saghas deirféar tú in aon chor?"

D'imigh sí isteach agus d'aimsigh sí *concealer* Sharon. Ní bhfaigheadh sí é a chreidiúint fós go raibh Sharon ag imeacht le buachaill a bhí i bhfad níos sine ná í. Níos measa ná sin bhí an buachaill seo ag fágaint *hickies* gránna ar a muineál, agus bhí Sharon ag tabhairt cead dó! Thosaigh Éile ar an gcaint seo nuair a d'fhill sí ach ní bhfuair sí freagra ródheas.

"Tá tú imithe craiceálta. Tú féin is do chuid ainmhithe. Cén fáth nach dtéann tú amach agus buachaill éigin a fháil?" arsa Sharon ar ais léi.

Chas sí timpeall tar éis an *concealer* a chur uirthi agus dúirt: "Ná habair dada le Mam . . . bhí mise ag déanamh tionscadail, ok?"

Ghéill Éile agus bheartaigh sí go mbainfeadh sí triail as ciall a mhúineadh dá deirfiúr uair éigin eile.

Isteach sa chistin leo agus bhí Mam fós ina suí ar an gcathaoir. Bhí an dara cupán tae á ól aici faoin tráth seo. Shiúil Sharon isteach. Níor thug Mam faoi deara go raibh sí ann ar feadh cúpla nóiméad.

"Cá raibh tú, Sharon?" ar sise.

"Ag déanamh tionscadail."

"Ó, go breá. Conas a d'éirigh leat?"

"Go hiontach," arsa Sharon. "Ta an-chuid á fhoghlaim agam!" a dúirt sí agus í ag caochadh súile ar Éile.

III

Bhuail an t-aláram agus d'oscail Sharon a cuid súl. D'fhéach sí ar an gclog. Thaispeáin scáileán a fóin 6 a.m. di. Chuir sí a fón ar *snooze* chun cúig nó deich nóiméad eile a thabhairt di féin sa leaba. Ní raibh sí ag fágaint go dtí a hocht a chlog ach b'éigean di éirí chun smideadh a chur uirthi féin agus a cuid gruaige a scuabadh i gceart.

D'imigh an t-aláram arís agus bhí sé anois 6.10 a.m. D'éirigh sí as an leaba agus d'fhéach sí sa scáthán.

"Th'anam ón diabhal, tá mo ghruaig ina cac," ar sise.

Bhí cithfholcadh aici agus d'oscail sí an bosca Mac. Is ansin a thug sí faoi deara go raibh teachtaireacht ar a fón.

"*Cúl Scoil na mBráithre inniu ag 10 a.m?*"

Jimmy a chuir an téacs. Chuir sí a haghaidh uirthi féin, agus diaidh ar ndiaidh dhúisigh gach duine a bhí sa teach.

D'fhág Daid iad ag an gcrosaire céanna ag a 8.30 a.m.

"Bíodh lá deas agaibh anois," arsa sé.

Thosaigh an bheirt ag siúl i dtreo na scoile ach tar éis cúpla méadar stad Sharon.

"Cogar, a Éile, caithfidh mé rith ar ais go dtí Centra chun peann agus cóipleabhar a fháil."

"Ach tá peann agus cóipleabhar le spáráil agamsa," arsa Éile.

"Ó, ní hiad sin na cinn chearta. Caithfidh mé imeacht agus iad a fháil . . . slán."

Ní raibh Éile sásta in aon chor.

"Anois, a chairde, táimid chun tús a chur le caibidil nua inniu. Na Réabhlóidí."

Ní raibh Éile rócheanúil ar an stair ach mar sin féin bhí múinteoir iontach aici. Mhúscail an Máistir Ó Riain suim an ranga san ábhar. Ní ar an stair a bhí aird Éile dírithe, áfach. Níor fhill a deirfiúr ón siopa agus bhí sí anois i lár an dara rang.

Cá raibh sí imithe? Ní go dtí an siopa a bheadh sí ag dul pé scéal é. An raibh sí ceart go leor? Má bhí baint ag Jack de Grás leis seo bheadh trioblóid ann.

"Nach ea, Éile?"

Bhí an múinteoir ag caint go díreach le hÉile.

"Sea, a Mháistir," arsa sí.

D'iarr an Máistir Ó Riain uirthi leanúint ar aghaidh ag léamh ach bhí sí caillte. D'fhéach sí timpeall uirthi féin. Bhí an rang tar éis bogadh ar aghaidh go leathanach nua ach bhí sise fós ar an gcéad leathanach.

"Ó, tá brón orm, a Mháistir, ach an bhfuil cead agam dul go dtí an leithreas? Braithim saghas tinn."

Thug an múinteoir cead imeachta di. Ní go dtí an leithreas a chuaigh sí. Cé nach raibh cead ag na daltaí fón póca a úsáid i rith am scoile, bhí sé ar intinn ag Éile a fón a fháil. Géarchéim ab ea é seo. Rith sí síos an halla go dtí na taisceadáin, d'oscail sí an doras agus las sí an fón. D'aimsigh sí uimhir Sharon agus chuir sí glaoch uirthi.

Tar éis do Sharon slán a fhágaint ag Éile theith sí suas an tsráid agus d'imigh sí timpeall an chúinne. D'fhan sí ann ar feadh cúpla nóiméad agus ansin thug sí sracfhéachaint thar an bhfalla. Bhí an bealach glan. Thrasnaigh sí an bóthar agus thosaigh sí ag siúl i dtreo Scoil na mBráithre. Bhuail an cloigín ar a fón agus í ar a slí.

"*An mbeidh tú ann?*"

Jimmy a sheol é.

"*Cinnte*," a sheol sí ar ais chuige.

Bhí a fhios ag Sharon go raibh súil ag Jimmy uirthi. Thosaigh siad ag téacsáil le déanaí.

"Níl mé ag siúl amach le Jack i ndáiríre ar aon

nós," a dúirt sí léi féin. "Nílimid ach ag bualadh lena chéile."

Bhí gach dalta ar an mbaile ar scoil faoin tráth seo. Shleamhnaigh an déagóir fánach isteach trí chúl na scoile agus ghearr sí trasna na páirce traenála. Bhí sceitimíní uirthi agus spleodar ina bolg. Bhí a fhios aici go raibh sí ag déanamh rud as an tslí ach thaitin an dainséar léi. Shiúil sí go mall i dtreo an tseanbhotháin ag bun na páirce. Bhain sí triail as féachaint isteach an fhuinneog ach bhí sí róshalach. D'imigh sí go dtí an doras agus shiúil sí isteach. Bhí sí ag tnúth le Jimmy a fheiscint ach ní raibh sí réidh don radharc a bhí os a comhair.

Sheas Sharon san áit chéanna ar nós deilbhe. Ní bhfaigheadh sí an tsamhail a bhí os a comhair a chreidiúint. D'fhan sí san áit chéanna ar feadh cúpla soicind ach shamhlaigh sé di go raibh sí ann ar feadh cúpla uair an chloig. Bhí sí corraithe go croí. Roimpi amach bhí Daid ina sheasamh sa chúinne agus Iníon de Clár ina bhaclainn aige. Bhí an bheirt acu sáite sa chúinne. Bhí siad ag pógadh. Díreach ansin bhuail fón Sharon.

"Ó, a Chríost na bhflaitheas!"

Chas Timmy timpeall ach ní raibh aon duine ann. Rith sé amach an doras. Faic. D'fhéach sé suas i dtreo na scoile agus siar i dtreo an bhóthair. Ar ais isteach sa bhothán leis.

"Imigh as an áit seo, a Bhláithín, bhí an t-ádh linn ansin!"

D'imigh Bláithín de Clár suas go dtí an scoil agus d'fhan Timmy ann ar feadh tamaill. Amach leis tar éis cúig nóiméad agus cé a bhuailfeadh leis ag siúl síos an pháirc ach Jimmy.

"Cá bhfuil tusa ag dul, a phleidhce? Imigh ar ais go dtí do rang."

D'ól Éile bolgam ón gcupán Hot Cup. D'fhéach sí timpeall an halla bia. Chas sí timpeall agus lean sí ar aghaidh leis an gcomhrá. As cúinne a súile d'aithin sí cruth cailín. Dhírigh sí a radharc ina treo agus b'in í. D'éirigh sí ón mbord agus rith sí síos chuici. Bhí Sharon ar a slí i dtreo na leithreas faoin am seo agus ghlaoigh Éile uirthi. Nuair nach bhfuair sí freagra, d'imigh sí síos chuici agus chuir sí a lámh ar a gualainn.

"Sharon," ar sise.

"Imigh uaim," a d'fhreagair sí.

Thug Éile faoi deara anois go raibh súile Sharon dearg agus ataithe. Bhí *mascara* fliuch ag rith síos a leicne. D'athraigh a mothúchán ón bhfearg go trua.

"Sharon, an bhfuil tú ok?"

"Tá mé go breá. Anois bailigh leat!" a scread sí.

Stad gach duine a bhí ina seasamh thart agus stán siad ar an gcúpla. Theith Sharon isteach sna leithris ansin agus fágadh Éile ina seasamh i lár an aonaigh.

IV

"An bhfuil tú ag déanamh do 'thionscadail' inniu?" a d'fhiafraigh Éile de Sharon. D'fhreagair sí go borb.

"Tá mé, agus as seo amach bac le do ghnó féin."

"Níl aon ghá bheith chomh géar liom, Sharon. Cad a rinne mé ort?"

Ní raibh gíocs ná míocs ón leathchúpla eile.

"Ceart go leor, bí mar sin."

B'in mar a d'fhág siad é.

Ar a slí chun Scoil na mBráithre bhí dian-smaoineamh ar siúl ag Éile. Cén fáth go raibh a deirfiúr chomh géar sin léi? Cén fáth go raibh sí trína chéile? An raibh baint ag Jack de Grás leis seo? Bhuail sí lena hathair ag an bpáirc traenála, agus thug sé eochair a sheomra ranga di.

"An bhfuil do dheirfiúr ag déanamh an tionscadail arís inniu?"

"Tá sí." Bhí an ghráin aici ar bhréag a insint dá hathair.

"Ó, n'fheadar mé, Charlie. Tá rudaí imithe chun donais ar fad le Sharon, cad a dhéanfaidh mé?"

D'inis sí an scéal ar fad dó. Chrom sé a cheann. D'ardaigh sé arís é ansin agus d'éirigh sé teasaí. Bhí Éile ag éirí teasaí freisin. Cén fáth go raibh a deirfiúr chomh gránna léi os comhair na scoile?

"Uth, bhí sé de cheart agam léasadh teanga a thabhairt ar ais di."

Nuair a chonaic Charlie é seo ag tarlú bhog sé a cheann isteach ina lámh. Thaitin a fhionnadh mín le hÉile. Chuir sé suaimhneas uirthi nuair a chuimil sí é. Fuair sí boladh bia agus mheall sé sin an déagóir ar ais isteach sa teach. Ar a slí isteach sa teach thug Éile faoi deara go raibh na tráthnónta ag éirí níos gile. Ní fada go mbeadh an samhradh buailte leo, agus scrúdú an Teastais Shóisearaigh freisin.

Shuigh an chlann chun boird agus cuireadh pláta os comhair Éile.

"Cá bhfuil Sharon in aon chor?" arsa a máthair. "Tá an tionscadal seo ag dul ar aghaidh beagáinín rófhada!"

Ní dúirt Timmy mórán ach d'ith sé a chuid prátaí.

D'fhéach Máiréad i dtreo a fir chéile. Ba bhreá léi dá mbeadh gnáthchomhrá ag an mbord. Lean an t-athair agus a iníon ag ithe an dinnéir.

Cúpla uair an chloig ina dhiaidh sin agus Éile ag déanamh Mata, chuala sí an Honda Civic ag réabadh tríd an oíche. An uair seo níor lean an carr ar aghaidh síos an bóthar ach stop sé díreach taobh amuigh den teach. D'fhan sé ann ar feadh tamaill agus tharla roinnt gluaiseachta thíos staighre. Tar éis cúpla nóiméad osclaíodh doras an chairr. Tharla roinnt cainte agus sciotarála. Dúnadh doras an chairr agus d'fhág sé le gairbhéal ag eitilt tríd an aer.

Isteach doras an tí le Sharon agus a héide scoile ina praiseach.

"Cad sa diabhal atá ar siúl agatsa?" arsa a máthair léi. "Cé a bhí sa charr sin?"

"Nach cuma cé a bhí ann!"

"Freagair mo cheist anois agus freagair go beo í. Cé a bhí ann?"

D'fhéach an déagóir ar a máthair, chaith sí a mála scoile ar an urlár agus phléasc sí amach ag gáire. Ní bhfaigheadh sí stopadh. Is ansin a fuair Máiréad an boladh.

"An raibh tusa ag ól?"

Ní raibh cos faoi Sharon. Thit sí anuas ar a tóin agus í sna trithí.

D'fhan Timmy istigh sa seomra suite, é ina shuí sa chathaoir agus gan dada á rá aige. Stop a iníon ag gáire agus d'fhéach sí isteach air.

"Haigh, a Dhaid," arsa sí, "castar daoine ar a chéile, mar a déarfá!"

D'éirigh Timmy agus amach leis sa halla.

"Imigh suas a chodladh. Beidh cás le freagairt agatsa amárach, a chailín."

Stad sí den gháire agus dhírigh sí a súile air.

"Ó, ní hea. Beidh cás le freagairt agatsa."

Sula raibh am ag aon duine a thuilleadh a rá d'éalaigh an déagóir trioblóideach suas an staighre agus isteach ina seomra léi.

Thit Sharon isteach sa leaba. Las sí an *dock* don iPod. D'fheach sí in airde ar an tsíleáil agus rinne sí iarracht díriú ar an solas. Ní raibh sí in ann. Thosaigh an seomra ag luascadh. Bhí sí anois ag smaoineamh ar chúrsaí an lae. Smaoinigh sí siar ar an mbothán. Smaoinigh sí ar an ngeit a baineadh aisti.

Cad a bhí le déanamh anois aici? An scaoilfeadh sí an rún?

Smaoinigh sí ar an mbuidéal vodca a bhí i gcarr Jack. Ní raibh mórán cuimhne aici ar ar tharla ina dhiaidh sin. Níor theastaigh uaithi go mbeadh cuimhne aici ar ar tharla ina dhiaidh sin. Bhí amhrán ag seinm. *Rap* a bhí ann. An duine ag caint faoin iníon a bhí aige agus an phraiseach a bhí déanta aige dá chlann. Phléasc Sharon amach ag caoineadh.

Bhí Éile sa seomra béal dorais. Chuala sí an rírá a bhí tar éis tarlú. Las sí a iPod *dock* féin. Ag éisteacht le Mozart a bhí sí. Ceol álainn é a chuirfeadh suaimhneas ar aon duine. Chuala sí a deirfiúr ag gol thar an gceol. Trócaire? Ní raibh fonn uirthi dul isteach chuici.

V

Ní raibh focal as aon duine sa charr. An Aoine a bhí ann agus de ghnáth bhíodh caint sheafóideach éigin ar siúl ag Daid. Stopadar ag an ngaráiste Topaz ar an mBóthar Cam.

"Éile, an rachfá isteach agus ceapaire sicín a fháil dom," arsa a hathair léi.

Bhí áthas an domhain ar Éile bheith ag éalú ón teannas.

Chas Timmy timpeall.

"Sharon . . . an rud a rinne tú aréir . . . ní raibh sé cóir."

Bhí Sharon chomh tinn le madra. Bhí póit mhillteach uirthi, agus dá laghad cainte a bhí ar siúl ba é ab fhearr léi. Lean Timmy ar aghaidh.

"Má tá tú chun leanúint ar aghaidh leis seo, scriosfar ár gclann . . . smaoinigh air sin."

Lean sí uirthi ag stánadh amach an fhuinneog. Tháinig Éile amach as an siopa agus shuigh sí sa charr.

"A mhúinteoir, an bhfuil cead agam dul go dtí an leithreas?" arsa Sharon.

Scrúdaigh Bean Uí Mhurchú í. Ba léir ó tháinig sí isteach sa seomra nach raibh gach rud mar ba chóir.

"Ceart go leor, ar aghaidh leat," a dúirt an múinteoir.

"Tá sé chomh maith aici bheith amuigh ansin mar ní bhainfeadh Dia obair as an gcailín céanna," ar sí léi féin.

Bhí ceann Sharon ag scoilteadh. Ní hamháin de dheasca an vodca ach toisc an méid a chonaic sí sa bhothán. D'imigh sí amach ar feadh tamaillín chun roinnt aeir a ghlacadh.

"Fágfaidh mé rudaí mar atá siad go ceann tamaill," a smaoinigh sí.

Ar ais léi sa leithreas chun a cuid smididh a shocrú agus bhí sí réidh don seomra ranga arís. Nuair a d'fhill sí, bhí Bean Uí Mhurchú ag dáileadh amach scrúduithe ón tseachtain roimhe.

"Ó, a dhiabhail," arsa Sharon léi féin.

Rug sí greim ar an scrúdpháipéar agus d'oscail sí é. Ní raibh mórán *biro* dearg air. Ag an am céanna, áfach, ní raibh mórán scríbhneoireachta air. 21% a fuair sí. "Gheobhainn marc níos measa a fháil," ar sí léi féin.

D'fhéach sí timpeall ar a deirfiúr. Bhí cuma sásta go maith ar a haghaidh siúd.

"Ní haon ionadh go bhfuil sí sásta agus a ceann

sáite aici sna leabhair ó mhaidin go hoíche. Ó, cén fáth gur thug Dia *swot* agus *sadcase* dom mar dheirfiúr," arsa sí léi féin.

Chríochnaigh an rang agus d'imigh an múinteoir. Bhog bliain a trí go seomra a deich, áit a raibh Tíreolas acu le hInían Nic Amhlaoibh. Rang éasca a bheadh anseo. Tháinig ardú croí ar Sharon mar go raibh a fhios aici go mbeadh a cairde istigh sa rang seo. Bheadh sí in ann suí in aice leo agus roinnt pleidhcíochta a thosú.

Bhí an múinteoir seo i gcónaí déanach toisc go raibh ualach mór aici. Bheartaigh Sharon ar dhul ag rógaireacht.

"Julie, féach amach an doras ansin agus abair linn nuair atá sí ag teacht."

Fad is a bhí Julie bhocht ag féachaint amach an doras rug Sharon ar a mála scoile agus chaith sí amach an fhuinneog é. Chuala Julie an torann agus d'fhéach sí timpeall.

"*Ah, no* . . . arís."

Rith sí go dtí an fhuinneog agus d'fhéach sí amach. Bhí an seomra ar leibhéal na talún agus thosaigh sí ar dhreapadh amach an fhuinneog chun é a fháil.

"Má dhúnann éinne an fhuinneog seo go bhfóire Dia oraibh," arsa sí.

Bhí a corp anois leathshlí amach an fhuinneog agus a cosa ag gobadh isteach sa seomra. Ní fhéadfadh Sharon í féin a stopadh. Anall léi agus bhrúigh sí an dalta amach an fhuinneog. Bhí Julie anois leagtha ar a droim taobh amuigh agus an fhuinneog dúnta. Phléasc gach duine amach ag gáire.

Ní raibh Sharon críochnaithe ansin. D'imigh sí sall chuig a deirfiúr.

"Éile, an bhfaighinn peann a fháil ó do chás peann luaidhe?"

D'ardaigh Éile a súile ón leabhar a bhí á léamh aici agus shín sí chuici an cás. Phioc Sharon *superglue* agus ní peann amach agus rith sí suas go barr an tseomra. Rith Éile ina diaidh nuair a thug sí é seo faoi deara.

"Tabhair dom é sin," a d'impigh sí ar a deirfiúr.

"Imigh leat," a d'fhreagair Sharon. "Níl ann ach píosa craic."

Dhírigh Éile uirthi.

"Bhuel ní theastaíonn uaimse baint a bheith agam le do shaghas craic."

Níor tugadh mórán airde uirthi.

"Imigh leat síos ansin, a *swot*, agus tosaigh ag staidéar don Ardteist."

Chas Éile timpeall agus shiúil sí ar ais go dtí a bord.

"Nach millteach an rud é éad."

Chuir Sharon *superglue* ar an nglantóir. Ghreamaigh sí é ar an gclár bán díreach sular tháinig Iníon Nic Amhlaoibh isteach sa seomra.

"Anois, a chailíní," ar sise.

Bhain sí triail as an rang a stiúradh. Nuair a chas sí timpeall thug Sharon faoi deara go raibh dhá shaghas marcóra ar bhord an mhúinteora, sealadach agus buan. Cad é an gáire a bheadh ann nuair a bhéarfadh an múinteoir greim ar an nglantóir! Fad is a bhí sé seo ag tarlú rith Sharon go bord an mhúinteora agus ghoid sí na marcóirí sealadacha. Bheartaigh an mháistreás gan bacaint leis an nglantóir agus rug sí greim ar mharcóir. Thosaigh sí ag scríobh ar an gclár bán ach ní raibh leath an ranga ag féachaint ná ag scríobh. Ní fada go bhfuair sí amach gur marcóir buan a bhí in úsáid aici. Bhí an rang sna trithí faoin am seo. Bhí deora ag rith síos leicne roinnt díobh.

Go tobann d'oscail an doras agus shiúil Julie isteach lena mála ar a droim.

"Cá raibh tusa?" arsa an múinteoir léi.

"Amuigh," arsa Julie. "Cá raibh tusa?"

Thosaigh sciotaráil arís. Síos léi go dtí a suíochán, chaith sí a mála ar an urlár agus shuigh sí síos. Sula raibh am aici suí, áfach, bhí Sharon taobh thiar di agus tharraing sí an suíochán uaithi. Thit Julie bhocht ar a tóin.

"Gheobhaidh mé mo dhíoltas!" a scread sí sall chuig Sharon.

Bhuail an clog agus d'imigh na cailíní síos go dtí an seomra bia. Bhí deora i súile an mhúinteora. Ní raibh aigne Sharon dírithe ar chúrsaí an lae inné fad is a bhí an rang sin ag dul ar aghaidh. Anois bhí sí ag smaoineamh arís.

VI

Bhí na hoícheanta ag éirí níos giorra agus an aimsir ag éirí níos teo. Thaitin an t-am seo den bhliain le hÉile. Bhí sí in ann dul amach go dtí Charlie níos minice. Bhí an séasúr cispheile thart agus gan aon rud buaite ag an scoil arís. Bhí an Teastas Sóisearach ag éirí níos gaire is níos gaire di freisin. Ba dheas an briseadh é dul isteach sa pháirc béal dorais agus labhairt leis an gcapall. Bhí an-chuid le hinsint aici an tráth seo.

"Ó, n'fheadar, Charlie," arsa Éile.

Rinne an capall glór aisteach amhail is go raibh sé ag rá, "Lean ort, a chailín óig."

"Bhuel, tá rudaí imithe in olcas istigh. Tá Sharon ag fanacht amuigh gach aon oíche. Diúltaíonn sí síob abhaile ó Dhaid. Ní fios d'éinne cá dtéann sí tar éis scoile. Nuair a thagann sí isteach san oíche is minic go mbíonn boladh óil uaithi."

Stop an cailín ar feadh tamaill mar gur shíl sí gur chuala sí fothram de Honda Civic ag teacht.

"Agus ní sa charr céanna a thagann sí abhaile gach oíche. Ceapaim go bhfuil níos mó ná buachaill amháin á tiomáint abhaile. Ó, is fuath liom na spraoi-thiománaithe sin."

Chuir sí a lámh ina póca agus tharraing sí amach roinnt cnapán siúcra. D'ith an capall iad agus lean sí ar aghaidh ag caint.

"Agus nuair a thagann sí isteach istoíche bíonn raic ann. Tá cosc curtha uirthi dul amach ach ní chloíonn sí leis . . . agus níl dada á rá ag Daid léi . . . tá sé chomh haisteach . . . níl Mam agus Daid ag caint. Tá siad cloiste agam arís is arís ag argóint." Chrom an capall a cheann.

"Níl a fhios agam cad a tharlóidh nuair a thosaíonn na scrúduithe . . . ní fada uainn anois iad."

Chrom Charlie a cheann níos ísle. Ba léir nach raibh rudaí mar ba chóir i dteaghlach Uí Bhraonáin.

Dhúisigh Máiréad Uí Bhraonáin de phreab. Chuala sí torann innill lasmuigh. D'ardaigh sí a ceann agus rinne sí iarracht féachaint tríd an scoilt sna cuirtíní. Thíos staighre sa seomra suite bhí Timmy fós ina shuí. Bhí sé ag féachaint ar an gcraoladh déanach den *Champions' League*. Ní raibh an oiread sin suime aige i Roma ná PSV Eindhoven, ach ar a laghad bheadh a bhean ina codladh nuair a thiocfadh críoch leis an gcluiche.

"Ní dóigh liom go raibh comhrá ceart againn le trí mhí anuas," a smaoinigh sé leis féin.

Ar an teilifís, scóráil PSV Einhoven cúl ach níor thug Timmy aird ar bith air. Cúpla soicind ina dhiaidh sin chuala sé torann cairr. D'fhéach sé amach tríd an scoilt sna cuirtíní.

Chas an eochair sa doras agus isteach le Sharon. Shiúil sí isteach sa seomra suite. "Cá raibh tusa?" arsa a hathair léi.

Ní bhfuair sé freagra.

"Cé hé sin a bhí ag tiomáint an chairr?" arsa sé.

Freagra ní bhfuair sé. D'oscail a iníon doras na cistine. Leis sin d'éirigh fear an tí ina sheasamh.

"Éist anois, a chailín. Ní féidir bheith ag siúl isteach agus amach as an teach seo agus gan dada á rá agat le héinne faoin áit as ar tháinig tú, agus ag cur buairt ar do Mham. . ."

D'iompaigh Sharon timpeall le meangadh ciniciúil gáire ar a haghaidh.

"Ag cur buairt ar mo Mham . . . hmm . . . nach suimiúil an ráiteas é sin."

Bhog sí suas chuige agus d'ísligh sí a guth.

"Dá mbeinnse i d'áitse anois bheinn an-chúramach ar fad . . . ní bheadh a fhios agat cad a thiocfadh amach as mo bhéal . . . tá carn scéalta agamsa faoi Scoil na mBráithre, an bothán go háirithe . . ."

Smeaic! Sula raibh a fhios ag ceachtar den bheirt acu cad a bhí tar éis tarlú, bhuail Timmy buille ar a iníon trasna an leicinn. Rug sí ar a leiceann dearg agus chaolaigh sí a súile ar nós cait.

"B'fhearra dhuitse bheith an-chúramach ar fad – "

Bhris Máiréad isteach trí dhoras eile na cistine.

"Cad atá ar siúl anseo?" ar sise.

"Tá Daid díreach tar éis a ghrá dom a léiriú trí bhuille a bhualadh orm."

"Imigh amach, Timmy."

Fágadh Sharon agus a máthair sa chistin.

"Bhfuil tusa ag iarraidh an chlann seo a stracadh as a chéile? An bhfuil?"

Ciúnas.

"Féach ort i do sheasamh ansin leis an mionsciorta gáirsiúil sin. Ag náiriú na clainne seo os comhair an phobail. Bhuel anois, tá nuacht agamsa duitse, a scraistín. Pingin rua ní bhfaighidh tú uainne an fhaid is go leanann tú ar aghaidh leis an gcraic seo, agus ag tosú ó amárach beidh tú ag teacht abhaile le do dheirfiúr gach lá agus beidh deireadh leis na buachaillí sin. An dtuigeann tú an méid sin?"

Ciúnas.

"Cuirfidh mise fios ar na gardaí agus ná ceap nach gcuirfidh mé."

Ciúnas.

Dúnadh an doras go borb.

Thuas an staighre fuair Timmy teachtaireacht téacs.

"*An dteastaíonn uait rud éigin a dhéanamh oíche Dé Sathairn?*"

Shuigh sé ar an leaba agus smaoinigh sé ar an

bhfreagra a thabharfadh sé. Rug sé greim ar an bhfón ach sular tharla aon rud eile chuala sé doras na cistine ag dúnadh. Chuir sé uaidh an fón ar eagla go mbeadh a bhean ag cur ceisteanna air, agus d'imigh sé amach as an seomra leapa.

"Anois, a chailíní, níl fágtha agaibh ach cúpla seachtain go dtí an Teastas Sóisearach. Tá súil agam go bhfuil gach duine ag staidéar go dian."

Bhí Sharon ina seasamh i measc an tslua ach gan pioc airde á thabhairt aici ar an bPríomhoide. D'fhéach sí sall ar a cara Sinéad agus rinne sí mím lena béal. "Crilly" an mhím a rinne sí. Sin an leasainm a bhí acu ar an bPríomhoide mar go raibh gruaig liathdhubh aici. Ní hamháin sin ach bhí stíl ghruaige aici ar nós Ted Crilly sa chlár *Father Ted*. Phléasc Sinéad amach ag gáire.

"A Shinéad, gheobhaidh tusa fanacht taobh thiar go dtí go labhraím leat!" arsa an mháistreás.

Leis sin scaip sí an slua agus chuaigh Sharon go dtí a taisceadán chun a cuid leabhar a réiteach.

D'oscail sí a taisceadán agus thosaigh sí ag útamáil.

"Bhfuil tú ag teacht abhaile liomsa inniu?"

Chas sí timpeall agus chaith sí súil ar Éile.

"B'fhéidir go mbeidh tionscadal OSSP le déanamh agam . . . ha ha ha . . ."

"Tá tú dochreidte," arsa Éile agus shiúil sí léi síos i dtreo na saotharlainne. Chas Sharon isteach sa taisceadán arís ach ní fada go bhfuair sí méar sna heasnacha.

"Ó, gheobhaidh mise mo cheann féin ar ais ortsa! Ba bheag nár mharaigh Crilly mé!"

"Hé, ná bí ag cur an mhilleáin ormsa anois," arsa Sharon.

Thosaigh an bheirt ag gáire, agus sula ndeachaigh siad go dtí na ranganna rinne siad coinne chun dul síos an baile ag am lóin.

D'imigh an lá mar ba ghnáth do Sharon. Í ag féachaint amach an fhuinneog. Ó am go ham chuir sí isteach ar dhuine éigin sa rang nuair a bhuail an fonn í. B'annamh nár smaoinigh sí ar an radharc a chonaic sí ar chúl Scoil na mBráithre. Cad a bhí le déanamh aici? Bhí foláireamh tugtha ag a hathair di sa charr an lá sin. Dá scaoilfeadh sí an rún bheadh a clann scriosta. Is cinnte nach raibh ag éirí go maith idir í féin agus a deirfiúr. Ní raibh an cairdeas go maith idir í féin agus a máthair ach an oiread. Cad a tharlódh dá scoiltfeadh an chlann áfach? An raibh sí ullamh don méid sin?

D'imigh an lá mar ba ghnáth d'Éile freisin. Í ag déanamh a díchill leis an obair ranga agus ag iarradh díriú ar an obair a bhí leagtha amach di.

I rith an rang Mata thóg Serena, cara eile le Sharon, an dialann obair bhaile óna bord. Scríobh sí nóta istigh ann agus chuir sí ar ais chuici í. Nuair a d'fhéach Sharon ar an dialann phreab a croí.

"*Dioscó oíche Dé Sathairn?*" a bhí scríofa air.

Bhí dearmad glan déanta ag Sharon air seo leis an méid a bhí ag dul ar aghaidh ina saol le roinnt ama anuas. D'fhéach sí trasna ar Serena agus rinne sí comhartha cinn ina treo chun a cuid suime a léiriú.

"Beidh mé go maith ar feadh cúpla lá. Laghdóidh sé sin an seasamh i mo choinne nuair a deirim go bhfuil mé ag dul chuig an dioscó," a dúirt sí léi féin.

Bhuail an clog don lón agus d'imigh Sharon agus a cuid cairde síos an baile. Cad atá á chaitheamh agat don dioscó? An féidir liom úsáid a bhaint as do GHD? Bhfuil cead agam tamall de na bróga deasa dearga sin atá agat? Cá bhfuair tú an *foundation* sin? Bhí an comhrá ag am lóin lán go béal le ceisteanna den saghas sin.

Bhí Sharon agus Sinéad ina suí ar an bhfalla taobh thiar de Centra nuair a chonaic siad carr Jack de Grás.

"Caithfidh go bhfuil sé ag obair sa cheantar seo," a dúirt Sharon.

"Cén saghas oibre a bhíonn ar siúl aige pé scéal é?" arsa Sinéad.

"Printíseach é le Cable Electronics. D'fhág sé an scoil tar éis an Teastais Shóisearaigh agus anois tá ag éirí go hiontach leis," a d'fhreagair Sharon. "Nach álainn an saol atá aige?"

D'fhéach an bheirt ar a chéile agus thosaigh siad ag scigireacht.

"An bhfuil a fhios aige faoi John agus Tommy agus Jason?" a d'fhiafraigh Sinéad.

"Bhfuil tú ag magadh? Níl ná é . . . níl a fhios aige faoi Pete ach an oiread!"

Phléasc siad amach ag gáire. Tharraing Sharon a fón póca amach agus chuir sí glaoch ar Jack. Nuair a d'fhreagair sé chuir sí ceist air teacht i leith chuici agus paicéad Marlboro Lights a thabhairt leis.

"*Hi*, a chailíní."

"*Hi, honey*," arsa Sharon.

Shín sí amach a lámh agus chuir sé an paicéad toitíní inti. Dhruid sí isteach chuige agus thug póg dó ar an leiceann. D'fhanadar ann ag caint ar feadh tamaill ach sula i bhfad bhí sé in am filleadh ar ais ar scoil.

"Ó, Jack, an ndéanfá gar beag dúinn?" arsa Sharon agus í ag féachaint air le súile móra oscailte. "An mbeifeá in ann roinnt vodca a fháil dúinn don Satharn?"

"Is dócha é," a dúirt sé agus é ag scaoileadh osna ag an am céanna.

"An mbaileoidh mé tú tar éis an dioscó?"

"Ó, feicfimid," arsa Sharon.

Léim sí anuas den bhfalla, shéid póigín chuige agus d'imigh sí féin is a cara i dtreo na scoile.

"Tá an leaid bocht ina sclábhaí agat!" arsa Sinéad.

Tháinig an Aoine agus bhí an bheirt chailín ag dul abhaile lena n-athair. Ar an tslí síos go Scoil na mBráithre scríobh Sharon téacs go dtí a máthair ag cur ceiste uirthi maidir leis an dioscó. "*An bhfuil tú ag magadh?*" an freagra a fuair sí. Ní raibh sé seo go maith. Bhí uirthi plean éigin a chumadh chun freastal ar an dioscó sin.

Cheap Éile go raibh cúrsaí ag éirí níos fearr an tseachtain seo. Ní raibh sí cinnte, áfach.

"Ní mar a shíltear a bhítear," a smaoinigh sí léi féin.

Stad Timmy an carr ag an Topaz agus rith Éile isteach sa siopa chun bainne a fháil dó.

"Daid, tá dioscó ar siúl amárach," arsa Sharon. "Agus ba bhreá liom bheith ann." D'fhéach sé siar uirthi.

"An dóigh leatsa go bhfuil mise agus do Mham chun cead a thabhairt duitse dul chuig an . . ."

"Hmmm . . . tá cuimhní ag teacht ar ais chugam ón mbothán sin atá in íochtar na páirce i Scoil na mBráithre . . ."

Ní bhfaigheadh Timmy é a chreidiúint. "Cad atá i gceist agat?"

Ar aghaidh le Sharon. "Nach cuimhin leat. Bhuail fón, chas tú timpeall, ní raibh aon duine ann? Cad a déarfadh Mam, eh?"

Bhraith Timmy a bholg ag casadh. Bhí a iníon féin á chur faoi dhúmhál. Lig sé osna as agus bhí ciúnas sa charr.

"Ó, agus beidh airgead ag teastáil uaim chomh maith."

D'fhéach sé sa scáthán. Ní raibh puinn mothúcháin le feiscint ina haghaidh. Chaith sé €20 siar chuici.

"Fiche euro?" arsa sí go searbhasch.

D'fhéach sé sa scáthán arís agus chaith sé €20 eile siar chuici.

"A Mháiréad, chuir Sharon ceist orm an bhfaigheadh sí dul chuig an dioscó, agus dúirt mé léi go raibh cead aici."

Stop bean an tí de bheith ag glanadh an bhoird. Is ar éigean a bhí a fear ag labhairt léi le déanaí agus anois bhí sé seo á rá aige.

"Ní chreidim é," arsa sí.

"Ná bí buartha," a dúirt sé. "Tabharfaidh mise síob di agus tiomáinfidh mé timpeall an bhaile ar feadh na hoíche, agus nuair atá an dioscó thart tiocfaidh sí abhaile liomsa." Thosaigh a bhean chéile ag glanadh an bhoird arís.

"Níl a fhios agam . . . níl a fhios agam . . ." a dúirt sí.

D'imigh Timmy isteach sa seomra suite agus rug sé greim ar an bhfón póca. D'aimsigh sé ainm an mhúinteora óig, Bláithín.

"*9 p.m. anocht?*"

Cúpla soicind ina dhiaidh sin fuair sé freagra.

"*Cinnte, a stór.*"

Chaith Sharon an chuid eile den tráthnóna á hullmhú féin, agus fad is a bhí sí á dhéanamh seo bhí a deirfiúr amuigh ag caint leis an gcapall agus í ag insint dó go raibh cúrsaí ag éirí níos fearr sa teaghlach. Ar deireadh thiar thall bhí sí réidh. Amach léi sa charr agus a hathair ina diaidh. D'fhéach Máiréad amach an fhuinneog thosaigh.

"Tá sé seo aisteach," arsa sí.

Thuas staighre stop Éile de bheith ag staidéar agus d'fhéach sí amach an fhuinneog.

"Hmm . . . tá sé sin aisteach," arsa sí.

Ar imeall an bhaile a d'ordaigh Sharon dá hathair í a scaoileadh amach. Stop sé an carr agus amach léi.

"Ní gá mé a bhailiú," a dúirt sí. "Pé scéal é, táim cinnte go mbeidh tusa gnóthach go leor!"

D'imigh sé leis agus frustrachas an domhain air. Thiomáin sé amach go dtí an t-eastát nuathógtha ar an taobh thoir den bhaile. Pháirceáil sé a charr, chnag ar dhoras 118 agus d'fhreagair Bláithín é.

"Tar isteach, a Mháistir," arsa sí.

VII

D'ól Timmy braon as an gcupán tae ach bhí sé róthe fós chun bolgam iomlán a thriail. Shuigh sé siar sa chathaoir agus lig sé a scíth. D'ardaigh sé an fhuaim ar an teilifís beagáinín mar go raibh an tuairisc spóirt ag tosú. D'oscail an doras agus shiúil a bhean chéile isteach sa seomra. Shuigh sí ar an tolg agus ní raibh focal eatarthu. Nuair a bhí an tuairisc spóirt thart d'ísligh Timmy an fhuaim arís.

"Cá bhfuil Éile?" arsa Máiréad.

"Amuigh leis an gcapall, is dóigh liom," a d'fhreagair fear an tí.

"Agus Sharon?"

"Ar cuairt ag cara éigin," a dúirt sé go borb.

Shuigh bean an tí ar an tolg ar feadh tamaill go dtí gur bhailigh sí go leor misnigh. "Tim," ar sí, "cad atá tarlaithe dúinn in aon chor?"

Lean a fear céile ag féachaint ar an teilifís. Sheas Máiréad in airde, rug greim ar an gcianrialtán agus mhúch an teilifís.

"Timmy," ar sise arís, "caithfimid labhairt lena chéile uair éigin."

D'fhéach sé timpeall uirthi.

"Nach bhfuilimid ag caint anois?"

"Caith uait an tseafóid, maith an fear. Tá a fhios agatsa go maith cad faoi atá mé ag caint."

Bhí cuma mhíchompordach ar Timmy anois. Níor theastaigh uaidh go mbeadh aon chaint ar bun a rachadh ródhomhain, ach bhí seanaithne aige ar a bhean chéile agus ní bean í a d'éirigh as nuair a bhí cúram ar a hintinn aici.

"Táim buartha," ar sise.

"Éist, a bhean," ar sé. "Níl ann ach seal. Tiocfaidh Sharon chuici féin tar éis tamaill. Ní gá a bheith faoi bhuairt."

D'fhéach a bhean air idir an dá shúil.

"Ní faoi Sharon atá mé ag caint."

Bhog Timmy go míchompordach sa chathaoir arís.

"Ní raibh comhrá ceart againne le fada an lá. Bíonn tusa imithe beagnach chomh minic is a bhíonn Sharon. Tagann an bheirt agaibh isteach déanach istoíche. Cad atá ag tarlú?" Bhí sé anois sáite i gcúinne. Ní bhfaigheadh sé an fhírinne a insint dá bhean. Ní anois pé scéal é.

Chuala se an cúldoras ag oscailt. Éile a bhí ann ag teacht isteach.

"Beidh sí ag teacht isteach anseo," arsa sé. "Cogar, táim faoi bhrú na laethanta seo ar scoil leis na scrúduithe agus a leithéid. Tá brón orm nach raibh mé ag caitheamh go deas leat le déanaí ach . . . Éist anois . . . Lorgóidh mise bileoga Gaeltachta ar scoil amárach agus cuirfimid na cailíní go dtí an Ghaeltacht ar feadh trí seachtaine. Beidh am againn ansin cúrsaí a phlé."

Bhí dealramh ar Mháiréad go raibh sí sásta go leor leis an socrú sin.

"Buíochas le Dia. Tá níos mó ama agam," arsa Timmy leis féin.

Bhí a fhios ag Éile go raibh rud éigin le rá ag a tuismitheoirí. Ní fhaca sí iad chomh gar seo ó thosaigh an trioblóid lena deirfiúr. D'fhéach sí ar Sharon. Ní raibh aon chomhartha uirthi go raibh a fhios aici céard a bhí ag tarlú. Ar deireadh labhair máthair na gcailíní.

"Bhí mé féin agus Daid ag caint agus is dóigh linn go ndéanfaidh sé maitheas daoibh cúrsa a dhéanamh sa Ghaeltacht."

Thit croí Éile. Is annamh a labhair sí amach ach ní bhfaigheadh sí fanacht ina tost tar éis seo a chloisint.

"Ach, a Mham . . ." ar sise "Bhí sé ar intinn agam dul chuig an tréidlia Seán Ó Móráin agus post samhraidh a lorg uaidh . . . fiú más cúpla uair an chloig in aghaidh na seachtaine a bhí i gceist."

"Éist anois, a stór," a dúirt a máthair. "Beidh go leor ama agat dul ag obair i rith an tsamhraidh, agus más maith leat is féidir liomsa dul chuige agus impí air áit a choimeád duit."

Ghlac Éile leis an méid sin ach ní raibh sí sásta. Bhí uisce faoi thalamh ag tarlú in áit éigin, dar léi.

D'fhan Sharon suite san áit ina raibh sí. Tháinig leathmheangadh gáire ar a haghaidh nuair a chuala sí an nuacht. Ba chuimhin léi bheith ag éisteacht leis na cailíní sa rang a d'fhreastail ar chúrsaí Gaeltachta, agus de réir dealraimh bhí siad lán le buachaillí dathúla ó Bhaile Átha Cliath. Ní hamháin sin ach bhí siad lán le buachaillí dathúla a d'imir rugbaí agus a bhí ag crochadh meáchan chun corp aclaí a chruthú.

An tseachtain ina dhiaidh sin a thosaigh na scrúduithe. Bheartaigh Sharon go mba cheart di tús a chur le roinnt staidéir. Bhí sí ag cur iarrachta isteach anois. Nuair a bhí sí dírithe ar rud éigin áfach d'imeodh bíp ar a fón póca.

Bhí sé ag tarraingt isteach ar a 10.30 istoíche agus d'imigh bíp eile.

"*An mbeidh tú thart oíche amárach?*" a léigh an téacs.

Mícheál Ó Laoire a bhí ann.

"Ó, tá an diabhal air," arsa Sharon léi féin.

Col ceathrair le Jimmy ab ea é. Ní raibh sé pioc dathúil ach bhí carr álainn aige, BMW gorm ón mbliain 1998 le fuinneoga dubha. Rud eile faoi ná gur cheannaigh sé creidmheas dá fón di agus thug sé deoch saor in aisce di freisin. Bhí teach tábhairne ag a uncail agus bhíodh sé ag obair ann anois is arís. Chuir sí téacs ar ais chuige.

"*Beidh mé gnóthach ar feadh tamaill, a stór. Tá scrúduithe ar siúl agam agus ansin beidh mé ag dul go dtí an Ghaeltacht.*"

D'éirigh thar barr le hÉile an mhaidin dár gcionn. Bhí gach a raibh sí ag súil leis ar an bpáipéar Bhéarla. Tar éis scrúdú deireanach an lae d'imigh sí síos an baile lena cara Fiona.

"Tá áthas orm go ndearna mé an oiread sin cleachtaidh ar na haistí Béarla," a dúirt Éile.

"Tá an ceart agat," arsa Fiona. "Le cúnamh Dé beidh an rath orainn sa chuid eile de na scrúduithe . . . conas a d'éirigh le Sharon?"

"Ó, ná bí ag caint. Thit mo chodladh ormsa ag a 11.50 aréir agus dhúisigh mé thart ar a 4 a.m. agus bhí an solas ar siúl fós ina seomra!"

Thosaigh an bheirt ag gáire, ach ina hintinn bhí Éile buartha faoina deirfiúr.

VIII

"Éirigh, éirigh, éirigh!" Sin an liú a dhúisigh Éile an mhaidin i ndiaidh an Teastais Shóisearaigh. Léim sí amach as an leaba agus sháigh sí a ceann isteach i seomra Sharon. Bhí boladh láidir cumhráin sa seomra ach bhí a fhios aici gur ag clúdach boladh eile a bhí an cumhrán.

"Táimid ag réiteach don Ghaeltacht," arsa Éile lena deirfiúr.

"*Yeah*, *yeah*, *yeah*. . ."

Amach le hÉile ansin chun slán a rá le Charlie. Chrom sé a cheann go huaigneach. Bhí Éile cinnte go bhfaca sí deora ina chuid súl. Ní fada gur shil sí cúpla deoir í féin.

"Beidh mé ar ais go luath, Charlie . . ."

Uair an chloig go leith a bhí an chlann ag fanacht le Sharon. Ar deireadh, tar éis cúpla argóint agus nuair a bhí an smideadh, na héadaí agus mar sin de réidh aici, d'imigh siad leo.

Dhá uair an chloig a thóg an turas orthu, ach bhraith Éile nach raibh se chomh fada sin. Níor theastaigh uaithi dul go dtí an áit seo in aon chor. B'fhearr léi bheith sa bhaile le Charlie nó ag obair leis an tréidlia i rith na laethanta saoire. Bhí Sharon ar bís. Bhí sí ag iarradh íomhánna de na buachaillí dathúla a shamhlú agus ag smaoineamh ar sheifteanna chun go dtabharfadh siad faoi deara í.

Shroich siad an lárionad, agus tar éis slán a fhágaint lena dtuismitheoirí, shiúil siad isteach sa halla. Ba bheag nár bhuail giall Sharon an talamh. Níor baineadh geit mar seo aisti le fada an lá. Thit a croí. Bhí an áit lán le cailíní agus gan ach corrbhuachaill le feiscint anseo is ansiúd. Bhí na buachaillí a bhí ann chomh dathúil leis an tarbh a bhí sa pháirc in aice láimhe. D'ardaigh croí Éile. Ar an tslí isteach chonaic sí cúirt álainn cispheile agus nuair a shiúil sí isteach sa halla d'aithin sí roinnt cailíní a bhí ar fhoireann cispheile Thrá Lí. Bhí aithne mhaith ag foireann Thrá Lí agus foireann Éile ar a chéile ó chomórtais éagsúla.

Ar an stáitse, ag barr an halla, bhí fear meánaosta ina sheasamh.

"Dia daoibh, a chairde. Is mise Seosamh Ó Ceallaigh."

Thosaigh sé ar rialacha an choláiste a liostáil. Níor chuala Sharon an oiread rialacha riamh! Bhí an slua ag tabhairt cluaise don fhear seo.

"Tá bac ar aon saghas caidrimh idir buachaillí agus cailíní," arsa sé.

Ní bhfaigheadh Sharon an riail seo a chreidiúint. Cén fáth ar tháinig cailíní agus buachaillí go dtí an Ghaeltacht mar sin? Lean an fear ar aghaidh.

"Tá trí chéad duine ag freastal ar an gcúrsa seo. Ní theastaíonn uainn go mbeadh aon timpiste ag éinne anseo!"

Phléasc an slua amach ag gáire. D'fhan Sharon ina tost.

"Más dóigh leat go bhfuil tú greannmhar tá dul amú ort," ar sise faoina hanáil.

Bhí liosta na dtithe crochta ar an bhfalla agus dúradh leo seasamh ag ainm an tí ina raibh siad ag fanacht. Bhí carranna na mban tí taobh amuigh faoin tráth seo, agus bhí cúntóirí agus múinteoirí ar fáil chun na málaí a iompar. Bhí Éile sásta go maith leis na cailíní a bhí suite léi faoi chomhartha theach Uí Néill. Bhí sé beartaithe acu cheana féin roinnt cispheile a imirt. D'imigh siad leo ansin síos go dtí an teach agus cuireadh in aithne iad do bhean an tí. Bhí sí go hálainn. Bean óg ab ea í le gruaig fhíordhubh. Bhí leanbh beag dhá bhliain d'aois aici agus í lán de chaint. Is ea, bhí dearcadh Éile ag athrú go tapaidh.

D'fhéach Sharon isteach ina seomra. Cúig leaba! Caithfidh gur cleas a bhí anseo. Tháinig Bean an Tí isteach sa seomra. Chas Sharon timpeall chuici.

"An bhfuil mise ag roinnt seomra le ceathrar eile?"

"Tá go deimhin," arsa Bean an Tí. "An bhfuil na cailíní eile anseo go fóill?"

"Níl a fhios agam," arsa Sharon go borb.

D'imigh an bhean tí isteach sa chistin, áit a raibh a fear céile ina shuí.

"Tá *madam* ceart againn sa seomra mór," arsa sí leis.

Tamaillín ina dhiaidh sin bhailigh Bean an Tí na cailíní le chéile istigh sa seomra suite chun nósanna an tí a insint dóibh.

"A thuilleadh rialacha!" arsa Sharon léi féin.

"Anois, a chailíní," a dúirt Bean an Tí. "Beidh oraibh na fóin a thabhairt dom anois agus níl cead iad a úsáid ach ar feadh deich nóiméad oíche Dé Céadaoin."

"Níl aon cheann agamsa," a d'fhreagair Sharon gan mhoill.

"Éirigh, *lads*! Tá na ranganna *loike* ag tosú ag a deich agus táimid le bheith ann roimh a deich mar *loike* is sinne an teach is fearr, *woo-hoo*!" An cinnire tí a bhí ann.

"Cén saghas Gaeilge í sin?" arsa Sharon léi féin.

Isteach sna ranganna leo. Shuigh Sharon in aice le hÉile. D'fhéach Éile uirthi le hiontas. Níor tharla an saghas seo ruda ó bhí siad sa bhunscoil. Go tobann phléasc an doras ar oscailt agus phreab gach duine sa rang.

"Hé! Hé! Hé!"

"An múinteoir í sin?" arsa Sharon le hÉile.

"Is dóigh liom é."

Ag barr an ranga bhí bean sna fichidí déanacha agus í ag léimt ó chos go cos. Gruaig bhearrtha rua aici, péire cuarán ar nós Íosa Críost, brístí gearra dearga agus T-léine geal uaine uirthi.

"Cad sa diabhal é sin?" arsa guth taobh thiar d'Éile.

Cé gur duine craiceálta amach is amach an Múinteoir Clodagh, thaitin sí le hÉile.

"Ní théann na héadaí sin le chéile ar chor ar bith," arsa Sharon léi féin.

Tháinig am spóirt sa tráthnóna agus ní raibh Sharon ag súil leis. Thosaigh siad le cispheil ach d'aimsigh Sharon cúinne di féin agus shuigh sí ar an talamh. Ní fada go raibh comhluadar aici.

"An brístí géine Victoria Beckham iad sin?" arsa Sharon le hiontas.

"Tá an ceart agat," arsa an cailín a bhí in aice léi.

"*Wow.*"

"Is mise Jane, an bhfuil roinnt Burberry uait?"

"*Ooooh!* Beidh le do thoil."

D'fhan na cailíní ann ag caint ar feadh tamaill agus faoi dheireadh bhí cúigear acu ann, iad go léir gléasta le brístí géine teanna, buataisí Ugg, aghaidh lán le *foundation* agus *sparkles* i ngach aon áit.

"Ar deireadh, tá daoine anseo le pearsantachtaí," a smaoinigh Sharon.

Thosaigh Éile ag imirt cluiche corr. Ní raibh an cluiche seo imeartha cheana aici ach bhainfeadh sí triail as. Ní raibh sí go rómhaith aige ach bhí sí ag baint craic as. Fad is a bhí sí ag fanacht cuireadh in aithne í do roinnt de chailíní Thrá Lí. D'athraigh siad go cispheil ansin. Chonaic sí go raibh buíon aimsithe ag Sharon.

"Ní dócha go mbeidh sí ina suí in aice liom amárach," ar sise léi féin.

Ní raibh mórán cainte idir Timmy agus Máiréad ar an tslí abhaile. Bhí lóistín curtha in áirithe aige in óstán cúpla uair an chloig ón nGaeltacht. Bhí béile le bheith acu an oíche sin i mbialann istigh sa bhaile, agus cúpla deoch ina dhiaidh, gan dabht.

"Bhí an béile sin go hálainn," arsa Máiréad. "An cuimhin leat an chéad bhéile a bhí againn le chéile?"

Tháinig meangadh gáire ar aghaidh Timmy.

"Is cuimhin go deimhin," ar sé, "agus nach orm a bhí an náire nuair a fuair mé amach go raibh mo chuid airgid fágtha sa bhaile agam i bpóca mo bhríste oibre!"

Bhraith Máiréad go raibh caidreamh de shaghas éigin ag éirí eatarthu arís, agus gháir a croí.

"Bhí Londain go hiontach na laethanta sin," ar sise. "N'fheadar cad a tharlódh dá mba rud é gur fhanamar ann . . ."

Ciúnas.

"Bheimis bancbhriste ag Sharon!" a d'fhreagair Timmy.

Thosaigh an bheirt acu ag gáire agus laghdaigh aon teannas a bhí eatarthu diaidh ar ndiaidh.

"An rachaimid ar ais go dtí an beár san óstán?" a d'fhiafraigh Máiréad.

"Rachaimid."

Ar shroichint an óstáin dóibh d'imigh Timmy go dtí an leithreas agus fad a bhí sé istigh ann rug sé greim ar an bhfón póca. D'aimsigh sé ainm Bhláithín agus chuir sé téacs chuici.

"*Tá an-bhrón orm ach ní dóigh liom gur maith an rud é go leanfaimis ar aghaidh ag bualadh lena chéile.*"

Isteach leis ansin go dtí an beár agus shuigh sé in aice lena bhean chéile. Bhraith sé an fón ag bualadh. Tharraing sé amach as a phóca é. D'fhéach sé ar an scáileán. "*Bláithín.*"

Dhiúltaigh sé an glaoch agus mhúch sé an fón.

An mhaidin dár gcionn chuaigh Timmy chun cainte leis an bhfáiltitheoir.

"An mbeadh áit ar fáil san óstán seo ar feadh seachtain iomlán?"

"Bheadh," arsa an rúnaí.

Bhí áthas an domhain ar Timmy, agus sular fhág sé chuir sé seisiún sa *spa* in áirithe dá bhean chéile.

Faoin tríú hoíche bhí cúrsaí go hiontach ceart idir

an bheirt tuismitheoir. Bhí cuimhní á bplé acu agus a scíth á ligint. Bhí rud amháin ag cur as do Timmy, áfach: a choinsias. Gach uair a las sé an fón bhí cúpla teachtaireacht ann ó Bhláithín, idir théacsanna agus teachtaireachtaí béil.

"Cé atá ag fágaint na dteachtaireachtaí sin agat?" a d'fhiafraigh a bhean chéile de.

"An bord contae," ar seisean.

Bhí a fhios aige go raibh a bhean chéile chomh sásta is a bhí sí riamh ach nuair a bhí sé ina aonar chuir a choinsias isteach air.

Isteach leo go dtí an Deep Sea, bialann den scoth, ar an Aoine.

"Níor ith tú mórán," a dúirt a bhean chéile leis.

"Nílim ag brath go rómhaith," ar sé.

Tamaillín ina dhiaidh sin thosaigh Timmy ar an ól. Tamaillín eile ina dhiaidh sin bhí siad ina seomra san óstán.

"A Mháiréad," ar sé. "Tá rud éigin le rá agam leat."

Sháigh a bhean chéile a ceann amach doras an leithris.

"Cad é, a stór?"

"Tá sé tábhachtach," arsa Timmy tar éis sos beag.

Shuigh a bhean in aice leis ar an leaba.

"Bhuel, níl aon slí éasca len é seo a rá ach . . . Ó th'anam ón diabhal . . . níl a fhios agam . . . cad atá . . . cad a bhí ar siúl agam . . ."

Scaoil sé an rún. Phléasc Máiréad amach ag caoineadh. Shuigh a fear céile ar an leaba agus é ag féachaint air féin sa scáthán. Níor thaitin an íomhá leis.

Ar maidin dhúisigh Timmy agus é sínte ar an urlár. Bhí a cheann ag scoilteadh. Bhí leathghloine uisce beatha lena thaobh ach bhí an leac oighir a bhí istigh ann leáite le fada. D'ardaigh sé a cheann ach bhí sé róthinn. Leag sé anuas ar an urlár arís é agus thit a chodladh air. Nuair a dhúisigh sé arís ní raibh éinne sa seomra. Shuigh sé suas ar an leaba agus thosaigh sé ag féachaint ar an teilifís. Is ann a d'fhan sé go dtí déanach sa tráthnóna.

Ag a 8.12 p.m. chuala sé an eochair sa doras. Sheas a bhean os a chomhair. Bhí a haghaidh chomh bán le sneachta. Línte dubha ar íochtar a súl. Shuigh sí sa chathaoir. Ciúnas arís. Ghabh roinnt ama thart sular dúradh focal.

"Tim . . ." arsa a bhean. "Is dóigh liom gur mhaith an rud é dá scarfaimis ar feadh tamaill."

Ní raibh sé cinnte den fhreagra a thabharfadh sé agus d'fhan sé ina thost ar feadh tamaill.

"Bhfuil aon slí faoin spéir gur féidir linn rudaí a réiteach . . .?"

"Níl . . . níl a fhios agam . . . i ndáiríre, tá am ag teastáil uaim chun cúrsaí a mheas."

D'fhan an fear briste ciúin ar feadh cúpla nóiméad.

"Is dócha go bhfuil an ceart agat, a Mháiréad."

Leis sin bhuail a fhón póca. D'fhéach sé ar an scáileán.

"*An Coláiste Gaeltachta.*"

IX

Bhí halla an chéilí lán go béal agus thar a bheith meirbh. Thíos sa chúinne a bhí Sharon ina suí lena buíon nua. Dá dtiocfadh an diabhal féin chucu agus ordú a thabhairt dóibh damhsa a dhéanamh, ní dhéanfaidís é. Bhí na múinteoirí agus na cúntóirí ag éirí tuirseach de bheith ag déileáil leo, agus mar sin níor bhac siad leo.

Phreab Sharon go tobann agus phrioc sí Jane.

"Biongó," arsa sí.

Cé a bhí amuigh ar an urlár ach ceathrar buachaill agus gach duine acu níos dathúla ná a chéile. Bhí a cheann bearrtha ag duine acu le dearadh de shagas éigin le feiscint ann. Gruaig bhánaithe a bhí ag buachaill eile. Fáinne trína mhala ag buachaill eile arís. Bhí cuma ar an scéal go raibh siad aosta go leor. Scrúdaigh na cailíní iad ar feadh tamaill. Ba léir go raibh siad ag cur as do na múinteoirí. Ar deireadh cuireadh ina suí iad mar go raibh an méid sin pleidhcíochta ar siúl acu. Thaitin sé sin le Sharon.

D'fhógair an Príomhoide briseadh beag mar go raibh an halla plúchta, agus bhog na daltaí amach sa chlós. Ní raibh Sharon ná a cairde i bhfad á gcur féin in aithne do na buachaillí.

"Ó, is as Baile Átha Cliath sibh," arsa Jane.

"Tá col ceathrair liom ina cónaí i nDún Laoghaire," a dúirt cailín eile.

"Bhuel is as Caisleán Cnucha sinne," a d'fhreagair buachaill na gruaige báine.

Tháinig an Príomhoide amach go gairid ina dhiaidh sin agus ghlaoigh sé isteach orthu.

"An rachaimid síos go dtí na crainn?" arsa buachaill na gruaige bearrtha.

"Imeoimid anois," a dúirt Sharon, "fad is atá gach duine ag bogadh."

Síos an pháirc peile leo agus shuigh an dream faoi bhun na gcrann.

"Cad is ainm daoibh?" arsa buachaill na gruaige báine.

Sharon a labhair ar dtús.

"Is mise Sharon, seo iad Jane, Caroline agus Kara."

Labhair buachaill na gruaige báine arís.

"Is mise Jamie. Seo iad Max, Tristan agus Vinnie."

Leis sin tharraing sé bosca Benson and Hedges amach as a phóca agus dháil sé iad i measc an tslua. Thuas ag barr na páirce bhí an grúpa seo feicthe ag múinteoir aireach agus d'imigh sé síos chucu ar an bpointe.

"Amach as sin sibhse," ar seisean "agus sibh ag caitheamh *fags*. Tabhair dom iad sin." Chuir Sharon pus uirthi féin.

"Cén fáth go gcaithfimid dul suas go dtí an halla? Níl dada ar siúl againn anseo."

"Téigh suas go dtí an halla láithreach bonn!" a scread an múinteoir.

"Agus cad a tharlóidh muna rachaimid?" ar sí.

"Nach tusa an brealsún beag," arsa an múinteoir go feargach agus bhreac sé a hainm ina leabhrán.

Ar an mbealach go dtí an halla shleamhnaigh Jamie píosa páipéir a bhí stractha aige den bhosca toitíní isteach i lámh Sharon. Nuair a bhí sí istigh sa halla d'fhéach sí ar an bpíosa páipéir. Bhí uimhir scríofa air.

Isteach doras an tí leis na cailíní agus bhí bord breá bia os a gcomhair.

"Ithigí an méid sin anois," arsa Bean an Tí, "agus tá a thuilleadh ann má tá sé ag teastáil ó aon duine."

Ní dúirt Sharon focal ach d'imigh sí díreach suas go dtí a seomra. Chuir sí a lámh isteach sa philiúr agus tharraing amach a fón. Sheol sí téacs chuig Jamie agus fuair sí freagra gan mhoill.

"*Buail liom ag barr Bhóthar na Móna. Tá rud éigin deas agam anseo duit.*"

Chnag an cinnire tí ar an doras.

"Sharon, tá tú i bhfeighil na soithí anocht."

Níor thug Sharon aird ar bith uirthi. Cén fáth go gcaithfeadh sí na gréithe a ní nuair nach raibh aon rud ite aici? Raiméis.

Cnag eile ar an doras. Bean an Tí a bhí ann anois.

"Sharon, caithfidh tú teacht anuas go dtí an chistin anois. Tá na cailíní eile beagnach réidh."

Thosaigh Sharon á réiteach féin don leaba. Bhí plean aici. Go gairid ina dhiaidh sin tháinig na cailíní eile isteach sa seomra agus bhí Sharon istigh sa leaba os a gcomhair. Tháinig Bean an Tí aníos arís.

"Sharon, tá Christine thíos sa chistin agus gan aon chabhair aici."

"Ach níor ith mise aon rud," a d'fhreagair sí.

"Síos leat anois, maith an cailín."

D'fhan Bean an Tí ann ar feadh cúpla nóiméad. Ar deireadh d'éirigh an déagóir agus chuir sí a cuid éadaigh lae uirthi.

"Níl sé seo cóir," arsa sí.

Síos go dtí an chistin léi agus gan aon fhonn oibre uirthi. Cailín beag ciúin ab ea Christine agus ní dúirt sí mórán in aon chor. Ina suí sa chathaoir a chaith Sharon a cuid ama ach amháin nuair a chuala sí Bean an Tí ag teacht. Críochnaíodh an obair níos déanaí an oíche sin.

D'imigh Sharon isteach sa seomra codlata dorcha ach níor athraigh sí a cuid éadaigh. D'fhan sí go dtí go raibh sé a 1 a.m. Fad is a bhí na cailíní eile ag brionglóidíocht, amach an fhuinneog le Sharon. Thuas staighre bhí Bean an Tí fós ina dúiseacht agus d'éirigh sí nuair a chuala sí torann aisteach. Sheas sí ag an bhfuinneog agus í ag féachaint ar Sharon ag éalú síos an bóithrín. Rug sí greim ar an bhfón agus chuir sí scairt ar an bPríomhoide.

Sa pháirc in aice le Bóthar na Móna a bhí Jamie ag fanacht leis an gcailín. Chonaic sé í sula i bhfad faoi sholas na gealaí.

"Dia dhuit, a spéirbhean," arsa sé.

"Dia is Muire dhuit," ar sí.

"Ar mhaith leat an stuif seo?" a d'fhiafraigh sé agus lámh sínte amach.

D'fhéach Sharon ar an gcnapán donn a bhí ina bhos.

"Ú, ba bhreá liom triail a bhaint as sin."

"Ní bheidh an seans agat, a chailín bhig," arsa guth os a cionn. Leis sin shoilsigh solas anuas ar an mbeirt. An Príomhoide agus an Leas-Phríomhoide a bhí ann.

Shuigh Éile in aice le Cáit, cailín gurbh as Trá Lí di.

"Aon scéal agat?" arsa sí léi sular thosaigh an rang.

D'fhéach Cáit uirthi go hamhrasach.

"Níl, ach is dócha go bhfuil scéal agat féin."

"Níl i ndáiríre. Bhí tae álainn againn aréir agus tá leanbh an tí chomh gleoite . . ."

Thug Éile faoi deara anois go raibh Cáit fós ag faire uirthi go hamhrasach.

"An bhfuil gach rud ceart go leor?"

"Tá gach rud go breá agamsa," arsa Cáit, "ach . . . ar chuala tú an scéal?"

"Cén scéal?" a d'fhiafraigh Éile agus í ag féachaint timpeall an tseomra. Níor thug sí faoi deara go dtí anois nach raibh Sharon sa seomra.

"Ná habair liom . . ."

Chrom Cáit a ceann. Sheas Éile agus rith sí amach go dtí na leithris chun Sharon a lorg. Ní raibh sí ann. Ar ais léi go dtí Cáit.

"Cad atá tar éis titim amach?"

Labhair a cara léi os íseal.

"Bhuel, níl mé cinnte de an bhfuil an fhírinne ar fad cloiste agam ach . . . rugadh ar do dheirfiúr aréir amuigh i bpáirc le buachaill ó Bhaile Átha Cliath."

"Óinseach," a dúirt Éile.

"Tá a thuilleadh sa scéal de réir dealraimh. Rugadh ar an mbeirt acu le *hash* ina seilbh acu, agus nuair a bhain an Príomhoide triail as é a bhaint díobh chuir Sharon isteach ina béal é . . . agus sin an méid atá cloiste agam."

Shuigh Éile siar ar an gcathaoir. Fan go bhfeicfeadh sí a deirfiúr.

Ar an trá a bhí siad an tráthnóna sin. Chuir Éile

ceist ar roinnt múinteoirí faoina deirfiúr ach ní raibh aon eolas acu seachas go raibh an Príomhoide ag déileáil leis. Bhí na múinteoirí an-cheanúil ar Éile. Bhí a fhios aici go raibh siad ag insint na fírinne di. Ní raibh aon dul as aici ach leanúint ar aghaidh leis na himeachtaí go dtí gur tháinig roinnt nuachta chuici. Idir eatarthu chuaigh sí ag snámh agus ag baint craic as na múinteoirí a bhí ar dualgas. Chuaigh roinnt acu isteach san uisce ach ní fada gur thosaigh na scoláirí á mbá le huisce. Nuair a tháing am baile bhí ocras an domhain ar gach duine idir scoláirí agus mhúinteoirí.

Céilí mór a bhí le bheith ann an oíche sin le comórtas faisin istigh ina lár idir na tithe éagsúla. Bhí téama dubh agus bán pioctha ag teach Éile. Bhí siad cinnte de go mbeadh duais acu roimh dheireadh na hoíche, agus muna mbeadh nach cuma? Amach le gach duine ar an urlár don chéad rince. D'imigh dhá dhamhsa eile thart agus ansin bhí sé in am don chomórtas faisin. Bhí coimhlint ghéar idir na tithe. D'aontaigh gach duine go raibh dhá theach a bhí thar barr, teach Éile, a raibh téama dubh is bán acu, agus teach Uí Laoire, a raibh téama *Samba* acu. Dúradh ina dhiaidh sin go mbeadh na duaiseanna á bhfógairt ar an oíche dheireanach.

Bhí sé anois in am damhsa nua a chleachtadh. Phioc fear an tí roinnt cailíní agus roinnt buachaillí go raibh muinín aige astu. Bhí Éile ina measc. Amach ar an urlár le hÉile agus lean sí gach rud a bhí á rá ag fear an tí. Bhí ag éirí go hiontach léi. D'fhéach sí timpeall an halla agus bhí gach duine ag gáire agus ag baint taitnimh as an oíche. Bhí sí an-sásta léi féin agus í i lár an aonaigh. Chroch sí a ceann in airde arís i lár an rince ach an uair seo thit a croí. Thíos ag bun an halla, suite sa chúinne, bhí a deirfiúr tar éis cur leis an slua. Cailíní ina timpeall, iad ag faire agus ag seitgháire faoi gach duine. Sheas siad amach ó gach duine eile sa halla, a cheap Éile. Don chéad uair ina saol, geall leis, d'éirigh fearg laistigh di.

Nuair a chríochnaigh an taispeántas bhí ar gach duine éirí agus triail a bhaint as an damhsa nua. Ar ndóigh, bhí an grúpa céanna thíos ag bun an halla ag cruthú faidhbe do na cinnirí agus a leithéid. Ní bhfaigheadh Éile é a choimeád chuici féin a thuilleadh. Mháirseáil sí síos go dtí an cúinne agus sheas os comhair a deirféar.

"Cheapá go mbeadh an iomarca náire ortsa d'aghaidh a thaispeáint istigh sa halla seo," arsa sí go húdarásach.

"Imigh leat agus téigh ag rince le do chairde beaga," arsa Sharon go searbhasach.

Lig Éile í féin le sruth.

"Féach ort féin suite ansin ar nós cailín sráide . . . nach bhfuil aon náire ort? Tú féin is do chairde bréige."

"Imigh leat," a d'fhreagair Jane, "nó beidh brón ort."

"Brón orm? Ba cheart go mbeadh brón ortsa,

náire freisin, agus tú ag dul timpeall na háite le do chuid éadaigh Barbie."

Sheas Sharon in airde.

"Ná bí ag maslú mo chuid cairde . . . cé a thug an ceart sin duitse? Is dóigh leat go bhfuil tú gan locht. Bhuel, táimse ag rá leat anois nach bhfuil tú gan locht agus tá súil agam go bhfeicfidh mé an lá go nochtfar é sin duit."

Tháinig meangadh gáire ar aghaidh Éile.

"Coimeádaimse mo chuid lochtanna chugam féin ach is léir nach féidir leatsa do chuid a cheilt mar go bhfuil tú chomh dúr sin!"

Leis sin tharraing Sharon sceilp ar a deirfiúr agus leag ar an urlár í. Léim sí in airde uirthi ansin agus bhuail cúpla sceilp eile uirthi agus srac a cuid gruaige. Murach Cian, an cúntóir, a bheith ina sheasamh ina aice leis an gcúinne bheadh míle murdar ann. B'éigean do cheathrar múinteoir cabhair a thabhairt dó an troid a stopadh.

X

D'fhreagair Timmy an fón póca. "Dia dhuit. An é seo Tadhg Ó Braonáin?"
"Is é," arsa Timmy.

"Seo é Seosamh Ó Ceallaigh, Príomhoide Choláiste na Gaeltachta. Tá brón orm ach tá drochscéal agam duit . . ."

Leag sé an fón síos ar an gcúntar le hosna. Chaithfeadh sé a chuid málaí a réiteach. Bhí turas go dtí an Ghaeltacht roimhe.

Níor labhair Sharon focal le Bean an Tí nuair a shiúil sí isteach sa teach. D'imigh sí díreach suas go dtí an seomra agus dhún sí an doras. Bheadh uair an chloig eile ann sula dtiocfadh na cailíní eile abhaile. D'aimsigh sí a fón agus chuir sí glaoch ar Jack de Grás. "Hi, Jack, a stór . . . conas atá tú? . . . Jack, an dtiocfaidh tú chun mé a bhailiú thíos anseo? Tá mé tinn tuirseach den áit."

Bhí Sharon ag súil go dtiocfadh Jack anuas chuici

ar an bpointe ach bhí glór éigin ina ghuth a chuir as di.

"Bhuel, anois, Sharon, táim saghas gnóthach anseo faoi láthair . . ."

Fad is a bhí sé ag caint chuala Sharon guth cailín sa chúlra. D'aithin sí an glór. Cé a bhí ann ach a cara Sinéad.

"Cén fáth go bhfuil Sinéad leat?" arsa sí.

"Caithfidh mé imeacht ón bhfón anois . . ." arsa Jack agus ansin bhí Sharon fágtha léi féin.

D'fhéach sí amach an fhuinneog.

"Cad atá tarlaithe? Is cuma liom," arsa sí agus í ag leanúint trí na hainmneacha sa bhfón. "Tá carn féidearthachtaí eile agam."

Ghlaoigh sí ar John. Bhí sé ag obair. Chuir sí glaoch ar Tommy. Bhí timpiste aige sa charr an tseachtain seo caite. Labhair sí le Jason. Thosaigh sé ag gáire agus chroch sé an líne.

"Amadán," arsa sí.

Rinne sí teagmháil le Pete. Bhí cailín nua aige agus sciob sí an fón uaidh.

"Má thagann tusa in aice le mo bhuachaill bainfidh mé an ceann díot agus caithfidh mé seile síos do scornach!"

"Báirseach," a d'fhreagair Sharon.

Bhí a cuid féidearthachtaí anois nach mór imithe ach amháin bun an bhairille, Mícheál Ó Laoire. Cheap Sharon go raibh an aghaidh is gránna in Éirinn aige . . . ach bhí carr deas aige.

"Mícheál, a stór . . ."

Ní fada go raibh an t-amadán ar an tslí agus buidéal vodca aige sa charr.

Léim Sharon amach an fhuinneog nuair a fuair sí an téacs ó Mhícheál, agus soir leo i dtreo an bhaile mhóir. Tharraing siad isteach in aice le clós beag os cionn na trá.

"Ól siar é, *hunny bunny*," arsa Mícheál agus é an-sásta leis féin.

Níos déanaí chuir sé a lámh ina phóca agus tharraing amach roinnt piollaí.

"Ú, cad iad sin?" arsa Sharon agus í ag caitheamh piolla siar a scornach.

"Feicfidh tú go gairid," arsa Mícheál agus é ag slogadh piolla freisin.

Thosaigh an domhan ag gearradh fáinne timpeall ar Sharon agus thosaigh an ceol a bhí ar an raidió ag éirí níos fearr is níos fearr.

"Ó, táim i ngrá leat," arsa sí agus í ag cur a lámha timpeall ar an mbuachaill.

Tamaillín ina dhiaidh sin bhuail smaoineamh í.

"A Mhíchíl," arsa sí, "ba bhreá liom fios a bheith agam conas carr a thiomáint."

"Ní gá ach an méid seo a bheith ar eolas agat agus tá leat," arsa sé agus é ag taispeáint gléasanna an chairr di.

"Ú, nach iontach é sin!" ar sí. "An féidir liom triail a bhaint as?"

Réab torann BMW tríd an oíche dhorcha. Is ar éigean a bhí Sharon ábalta fócas a dhíriú ar an méid a bhí os a comhair ach bhí sí ag dul mall go leor. Le himeacht ama chuaigh sí i dtaithí ar an tiomáint. Thosaigh luas an chairr ag méadú. Suas síos na bóithre a thiomáin siad agus an luas ag éirí de réir a chéile. Go tobann chuala siad cnag mór faoin gcarr agus sciorr sé. Stop sí an carr agus d'oscail sí an doras. Caora a bhí os a comhair ar an mbóthar agus í gortaithe go dona. Phléasc siad amach ag gáire agus lean siad ar aghaidh.

D'oscail paiste breá bóthair os a gcomhair agus bhrúigh Sharon an luasaire go dtí an urlár. D'fhéach sí ar an luasmhéadar – 100 ciliméadar san uair. D'fhéach sí air arís – 150 ciliméadar san uair. Arís – é ag breith ar 200 ciliméadar san uair.

"*Woo-hoo!*" arsa sí agus í ag ligint gach píosa frustrachais amach aisti a bhí fáiscthe ina croí le míonna anuas. Lig sí liú aisti; ansin liú níos airde. Scread sí in ard a gutha. Tháinig péire soilse ina dtreo go mall ar dtús. D'éirigh siad níos mó. Bhí lánsolas á lasadh ag Sharon. Splanc an carr a bhí ag teacht a shoilse.

"Múch an lánsolas," arsa Mícheál

"Cad a dúirt tú?"

"Múch iad!"

Shín sé i dtreo Sharon agus leag sé a lámh ar an gcnaipe.

"Imigh!" a scread Sharon agus í ag ligint liú gáire aisti. Bhuail sí slais ar a lámh. Bhrúigh sé í. Bhrúigh Sharon ar ais. Luasc an carr. Luasc sé arís. I bpreabadh na súl bhí sé thart.

Bhí Séamas Ó Ceallaigh ar a shlí abhaile an oíche sin. Bhí caoirigh aige thuas sna sléibhte agus chuala sé go raibh buíon madraí thart. Ní raibh sé ag súil leis an radharc a d'fheicfeadh sé in aon chor. Tháinig fonn múisce air nuair a chonaic sé an dá charr agus iad briste brúite. Ní raibh sé ábalta déantús na gcarr a aithint mar go raibh siad chomh brúite sin. Cheap sé go raibh cruth sean-BMW ar cheann amháin acu ach ní raibh sé cinnte de. B'éigean dó caitheamh amach agus é ina sheasamh taobh amuigh nuair a chonaic sé an fhuil a bhí doirte ar an mbóthar agus nuair a fuair sé an boladh. Ghlaoigh sé ar na seirbhísí éigeandála.

XI

D'oscail Sharon a súile. Cá raibh sí? "Cé hiad na daoine seo? Tá mo cheann chomh tinn," a smaoinigh sí.

D'fhéach sí suas ar an teilifís. An raibh teilifís aici ina seomra? Dhún sí a súile agus ar ais a chodladh léi.

D'oscail sí a súile arís. An ag brionglóidíocht a bhí sí? Bhí banaltra lena taobh. "Cá bhfuil mo Mham?" a theastaigh uaithi a rá léi.

Ní raibh na focail aici. Cad a tharla?

"Tá mo scornach tinn," arsa sí ina haigne féin.

Dhún sí a súile arís. Dhúisigh sí de phreab.

"Cá bhfuil mé?"

D'fhéach sí in airde ar an teilifís. Bhí *Sky News* ar siúl. An 25 Lúnasa a bhí scríofa ar an teilifís.

"Seo mí Iúil," arsa sí léi féin. "Caithfidh mé éirí."

Rinne sí iarracht í féin a tharraingt as an leaba.

"Cén fáth nach féidir liom mo chosa a bhogadh? Cén fáth nach féidir liom mo lámha a bhogadh? Cén fáth nach féidir liom labhairt?"

D'oscail Éile doras an ospidéil dá Mam. Choimeád sí oscailte é fad is a d'úsáid Máiréad na maidí croise chun cabhair a thabhairt di bheith ag siúl. Ní raibh sí imithe i dtaithí orthu fós ó baineadh a cos chlé di san obráid. Chuaigh an bheirt acu i dtreo sheomra Sharon. Bhuail siad leis an dochtúir taobh amuigh den seomra.

"Ní dóigh liom gur maith an smaoineamh é seo," arsa an dochtúir leo.

"Caithfear é seo a dhéanamh," a d'fhreagair an bheirt le chéile.

Bhí orthu fanacht ar feadh tamaill mar go raibh an bhanaltra ag cabhrú le Sharon dul go dtí an leithreas. Nuair a bhí an mála fuail bainte di ag an mbanaltra, thóg sí Sharon isteach go dtí an folcadán speisialta. D'ardaigh sí ar ghléas í agus thum isteach san uisce í.

Isteach leis an mbeirt agus bhí foireann ann réidh chun Sharon a ardú isteach sa chathaoir rothaí agus a ceann a shocrú ionas nach mbeadh sé ag bogadh ó thaobh go taobh. Bhraith Sharon go raibh gach duine ag féachaint uirthi ar an tslí go dtí an t-otharcharr. Súile lán le trua ag faire uirthi. Bhraith sí náirithe. Níor labhair aon duine focal san otharcharr. Ní raibh Sharon ábalta focal a labhairt. Ní raibh sí ábalta a súile a dhíriú ar a máthair ná ar a deirfiúr.

D'oscail doirse an otharchairr. Bhrúigh Éile an chathaoir rothaí agus lean a máthair isteach sa reilig iad. Stop siad os comhair uaighe. Bhí leac ann: Timmy Ó Braonáin, a fuair bás an 10 Iúil. Tar éis tamaill bhog siad go bun na reilige. Bhí leac eile ansin: Mícheál Ó Laoire, a cailleadh an 10 Iúil.